滝沢眞規子　MY BASIC

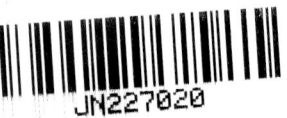

はじめに

この春、

３人の子供たちがみんな小学生になりました。

振り返ってみると、母となってからの日々は

毎日がバタバタとあっという間に過ぎていきました。

大変なこともたくさんありましたが、主婦として、母として、

忙しく頑張ることが、私にとっての幸せと感じています。

家族みんなが健康でいられること。

それが一番嬉しいし、私の基盤なのかもしれません。

結婚して１５年、VERYの専属モデルとなって５年。

変わったこと、変わらないことのすべてを

私の主婦としてのベーシックとして１冊にまとめました。

〝毎日丁寧に〟が私のベーシック

２２歳で結婚し、
２５歳、２８歳、２９歳で子供に恵まれ
３１歳ではじめてVERYに出ました。
その後まもなく専属モデルとなり、３７歳の今。
モデルの仕事を始めたものの
なかなか自分に自信が持てなかったり、
スケジュールが立て込んで家庭とのバランスに
悩んだこともありました。
それでも、やっぱり主婦って楽しい。
妻であること、お母さんでいられることを
幸せだなと感じます。
そんな毎日から生まれたファッションや
ライフスタイルをこの本に込めました。
私と同じように主婦として忙しく毎日を送る方だけでなく
これから結婚して新生活を始められる方、
手のかかる小さなお子さんと頑張っているママにも
この本から何かを感じていただけたら嬉しいです。

目次　CONTENTS

My Basic 01

シーン別
〝母ファッション〟の
マイルール

滝沢さんが私服で誌面に初登場した、2009年のVERY10月号。そのきちんと感のあるコンサバスタイルは、今どきの主婦らしいファッションとして同世代の女性から瞬く間に熱い注目を集めることとなりました。トレンド服とも他人の目線を意識したモテ服とも違う、自分と家族にとって心地よい主婦の服。それは同時に〝お母さんて素敵だな〟と改めて感じさせてくれるものでした。そんな滝沢さんの母ファッションを5年分のVERY誌面より再録。家族とのお出かけ、幼稚園・学校行事、週末カジュアル、旅行と、主婦にとって身近なシーン別に紹介します。

読者・モデル・PRが保証

Part 1

「私、3年使う自信があります！」

目利きな30代の、先モノ買いをパパラッチ

読者編

長く使えるモノを選んで、流行アイテムを今年限りにしないことこそオシャレな人のなせる技。実際に選んだものを見せてもらいます！

薄手ニット

先モノ買いは

エンブレム

いつもコンサバ感のあるトラッドパンツスタイルが多いので、エンブレムの付いたジレにトライ。ドロワーで。

キラキラ

滝沢真規子さん

30歳・渋谷区在住

トラッド服をちょっとだけ新鮮に見せる品のよい流行を選びます

3人の子育てに追われる忙しい毎日で、なかなかショッピングする時間はありませんが、一軒だけ行くならドロワー。ベーシックこそ、ちょっとずつ流行を取り入れ更新していくのが私流です。ジレ、ニット、ストールがドロワー。パンツはセオリー。

50

私服をイメージした撮影でのひとコマ。子供たちとのリンクは10%くらい。子供たちにはキレイ色を着せることが多いので、自然と自分のコーディネートの中に何か１色取り入れたりしています。

FAMILY SHOPPING

家族で出かける日

〝服が好き〟。それは、小さな頃から変わりません。子供の頃はこだわりが強く、服や髪型が納得できるまで何度も着替えたりしていました。若い頃は流行を意識した時期もありましたし、冒険もしました。けれど結局落ち着くのは、きちんと感のあるコンサバ。なにより夫も子供たちも「似合う」と褒めてくれます。特に子供の目は正直で、流行はどうであれパッと見たその姿がきれいかどうかで判断しているよう。だから特に家族のお出かけでは、ひとりよがりではいけないと感じます。最近になって娘たちが、「早く大きくなって、ママみたいな格好がしたいな」と言ってくれるようになりました。私が思う以上に子供たちはよく見ていて、それをいつまでも憶えています。だから今日も精一杯きれいにしていたいのです。

VIVID COLOR

母らしさって地味なだけじゃない。キレイ色を上手に使って、きちんと見せる

基本的にベーシックカラーがワードローブの中心ですが、シーズンごとに、そのときの気分に合ったきれいな色を取り入れるのも好きです。子供たちから見ても、明るい印象があって、新鮮に見えるようなので、家族でのお出かけの日に積極的に取り入れます。大好きなブルーやグリーンを始め、赤やオレンジ、イエローも、私の肌や髪の色に合わせて深みのある色味を選ぶようにするのがマイルール。カーディガンやシンプルなニットなどで取り入れればコンサバな雰囲気になるので、色で冒険してもお母さんらしくいられます。忙しい朝にもさっと着ればいつもと違う印象になるのも嬉しいです。

BASIC COLOR

辛すぎない、
モードすぎない
ベーシックカラー
こそ母らしく

ベーシックカラーはスタイリングの幅が広いからこそ、TPOに相応しく、より自分らしいものを追求します。家族のお出かけでは、主人とのバランスを考えたりするのも楽しみのひとつ。普段はパンツスタイルが多いのですが、バレエの発表会や保護者会など子供行事のときは、スカートで甘さをプラスします。子供たちの服も〝自分が着る感覚〟で選ぶので、自然とベーシックカラーが多くなります。子供らしさは大切にしながら、きちんと感のあるもの。カラフルな服や、キャミソールにショーパンのような露出の多いスタイルにはしません。ベーシックカラーで、少しだけトラッド。そんな地味めな我が家の子供たち。でも、家族５人だとそのくらいが丁度まとまりがいい気がしています。

小学校の授業参観は、こんなスタイルで。グレージュのパンツスーツは、エストネーション。シンプルな細身パンツで、親族でホテルの会食などにも着ていきました。

SCHOOL VISIT

園行事、学校行事

母となって12年。長女が入園する頃は「入園式のお母さんて、こんな感じだったかな?」とかしこまったスーツを用意したり、お母さんらしさの固定観念に縛られ、なかなか自分らしいスタイルにはたどり着けませんでした。鏡を見ても「いつもの自分のほうがいいな」なんてよく思ったものです。この頃やっと、自分らしい学校スタイルを見つけた気がします。「ママ、キレイにして来てくれたんだな」と子供が感じてくれて、先生や他の父兄の方にもきちんとした気持ちが伝わる。行事の主役は子供ですから、母らしさはそれで十分だと思います。

試行錯誤を重ねた自分らしい行事服
行き着いたのは、結局〝きちんと感のある紺〟でした

1 エストネーションのロングジャケットに、セオリーのセンタープレスのパンツで。 2 長女の小学校入学式は、マルティニークのセットアップ。 3 学校用ではありませんが、ママランチなどで着たクリュのネイビーワンピースは、辛口サンダルで。 4 七五三のお祝いに着たUMAのスーツを、次女の幼稚園の入園式にも着まわし。マルニの白ブラウスと白いバッグでフレッシュに。 5 エンフォルドのノーカラージョーゼットブラウスをスカートにインしてきちんと感を出します。 6 バルバのシャツ

2010

は、少しずつ買い足して、白、ブルー、ストライプなど6枚持っています。衿の形やウエストのシェイプが絶妙で、きちんとしたいときにピッタリです。**7** エストネーションのチェスターでハンサムなきちんと感を。**8** 香港で購入したカシミアのツインニットに、Vinceのストレッチレザースカートを合わせて。**9** この2年くらい行事服はアドーアのものが多くなっています。ジャンポール ノットのシャツにアドーアのパンツで。**10**エキプモンのシャツにアドーアのスカート。

2015

私服をイメージした企画での撮影の一コマ。トレンチにスニーカーは、公園での定番スタイル。軽い素材のリラックス感のあるトレンチで。お天気の良い日はサングラスも必須です。

WEEKEND CASUAL

週末カジュアル

元気いっぱいな子供たちとの休日は、私たち夫婦の楽しみです。みんな小学生になり、塾やお稽古が忙しくなってきたけれど、時間の許す限り近所の公園や遠くのアスレチック、川遊びにも行っています。足元はもちろん歩きやすいスニーカーやフラットシューズにしますが、トレンチコートやシャツなどを取り入れて、どこか自分らしいスタイルに仕上げます。アクセサリーはごくごくシンプルなものにしてちょっとハンサムに。お母さんがほんの少しきちんとしていれば、帰りに家族でちょっとランチも可能かな、なんて思います。

1

3

4

2

5

6

8

いつもの コンサバスタイルに 2割カジュアルを ぺたんこで投入！

1、**3** 汚れが目立つ全身白も、お母さんらしい清潔感があるから、子供と一緒の日にこそしたいんです。汚れた服を真っ白に洗濯するのも快感！　**2** デニムにぺたんこのカジュアルにこそ、バーキンで大人っぽく締めます。ドライビングシューズも公園に便利。**4** ダウンもそのままカジュアルには着ません。モンクレールのダウンに、歩きやすいトッズのシューズを合わせて。**5** セントジェームスのカットソーにデニムのかなりカジュアルな日は、ハットで洗練度アップ。**6** モンクレールのモッズコートは長年愛用の公園アイテム。**7** スウェットパーカも白ならジャケット感覚。**8** ニットで、優しげな全身白コーデ。**9** ビビッドなカラーで、デニムを新鮮に。**10** ホワイトデニムもピンクベージュのシャツで品良く。

7

10

旅だからといっていつもと違うテンションにするより、きちんと感のあるいつものスタイルに、少しだけプラスアルファします。帽子とピアスは遊びやすいアイテム。

TRAVEL

旅行

子供たちが大きくなった今、旅支度もずいぶん楽になりました。それでも温度調節の上着や雨用のレインコート、お薬類まであらゆることを想定して準備するのが一番気軽でいられることを、この12年で実感しました。現地調達にして身軽に出発できればいいのですが、３人分のサイズや安心なものを探すと、結構それに時間を費やすことになるので、あれもこれも持っていくようになりました。その分大人は、〝着まわし力があって、きちんと見えるラクな服〟が基本。行き先にもよりますが、旅先でもいつもと変わらないテンションで過ごしたいから最低限のベーシックアイテムは持っていくようにします。水遊びさえできれば大喜びだった子供たちもいろいろ楽しめるようになってきたので、さらに行き先を広げて家族の思い出をたくさん作りたいです。

気軽に思えるリゾートこそ
子連れの旅は、しっかり準備が必要です

1

2

2010年 グアム旅行の 旅支度

9

4

3

8

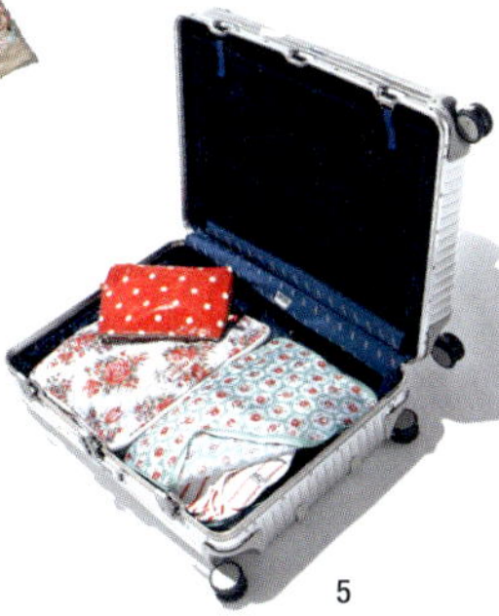

5

7

6

1 子供たちのスイムウェア。長女のビキニはZARA、次女のワンピはマメールで。男の子のトランクスはSHIPS。**2** 機内での寒さ対策は、シワが気にならないナイロンパーカ。**3** 折りたためるハットはユナイテッドアローズで購入。**4** スイムウェアはロンハーマンで。**5** キャス・キッドソンのパッキング用ポーチに1人ずつ収納。ホテルに着いたらそのままクローゼットで使います。**6** サブバッグも1人1つずつ持たせてあげます。**7** 普段はあまりあげない甘いおやつは、長いフライト用。**8** 折り紙や色鉛筆、シール絵本は機内での定番。**9** バンドエイドやムヒパッチ、日焼け止めはひとまとめに。

元気に過ごせてディナーも行ける
きちんとラクな母的・旅の着回し術

1 ショッピングはハイブランドのブティックに入ることも考えてパンプスで。カーディガンは、DEREK LAM、デニムはJOE'S、パンプスはChristian Louboutin。 **2** 公園やたくさん観光する日はスニーカーで。軽いファーベストは温度調節にとても便利。ファーベストはTeso。 **3** 観光は、写真映えのするブルーで。ニットは

5

4

2013年 NY旅行の 旅支度

6

DEREK LAM。**4** 機内からホテルのチェックイン・ジャケットはBEIGÉ、ニットはCARVEN、Tシャツは、ESTNATION。**5** ホテルで家族とのディナーには、DEREK LAM。**6** ラクな羽織りもの×細身パンツが旅の基本。ジャケットはIRO、パンツは 4 style着回したTheory、シューズはLANVIN。

My Basic 02

今の私に欠かせない、
ベーシック
アイテム

VERY初登場以来、滝沢さんの私服には読者の方々からたくさんの問合わせが寄せられます。それは元々のセンスの良さだけでなく、そのスタイリングが実際に主婦として母として生活する中で生まれたものだから。今回撮り下ろした私服スナップから見えてくるのは、やはり一貫してきちんと感のあるコンサバであるということ。変わらないそのスタイルの最新版と、そこに彼女らしさが生まれる理由を、愛用中の20のベーシックアイテムから紐解きます。

MAKIKO'S 20 BASIC ITEM

服を選ぶときに、大切に考えるのは
「長く使えるものかどうか」ということ。
主婦となって、母となった今、
一過性の流行には惹かれません。
旬な気分のデニムから
10年以上愛用のバッグまで、
〝私らしい〟と感じる
今のベーシックスタイルを作る、
20アイテムを紹介します。

ITEM

1

シーンを選ばない トレンチコート

学校や仕事、そして公園のようなカジュアルな場所にも、私はトレンチを着ます。スニーカーを合わせて着崩しても、コンサバに着ても、しっくりと馴染んで私らしくなる安心感があります。これは最近よく着ている、ガウンのように軽く羽織れるドゥロワーのもの。

ITEM

2

身のこなしが美しく見える JOSEPHのカットソー

シンプルなVネックのカットソーですが、しなやかなシルクとコットンのコンビで、カットソー以上ブラウス未満のきちんと感があります。深すぎないデコルテの開きだから1枚でサラリと着られ、ジャケットの下に着てももたつきません。あまりに着心地が良く、すぐに色違いを購入。

ITEM 3

ラージサイズの PEEKABOO

大きなバッグが好きなんです。このバッグは重いし決して使いやすいわけではないけれど、独特の端正な佇まいが絶妙に私好み。サイドをラフに開ける持ち方で、スタイリングがひとさじカジュアルになる。服がシンプルな分、バッグや靴で私らしさを表現するようにしています。

ITEM

4

気持ちを引き締めてくれるジャケット

まだ10代の頃、ベージュのコットンジャケットを着た私を「とても似合ってるよ」と母が褒めてくれたのです。それが嬉しくてそのジャケットをすごく着込んだのを覚えています。着ると自然に背筋が伸びるような真面目な硬さは、コンサバ好きの原点かもしれません。

ITEM

5

母らしさ重視でいきついた Tiffany&Co.のジュエリー

この春次女が入学し、全員小学生になった記念に。深みのあるサファイアブルーが、ダイヤほど派手でなくパールより新鮮に、紺の行事服に馴染みます。華やかさや女らしさとは違う、母らしさという視点で選んだジュエリーは、自分の母としての成長を感じさせてくれる輝きです。

ITEM

6

35㎝がマイベスト HERMÈSのバーキン

初めてのバーキンはゴールドの35㎝。長女が誕生した際に主人がプレゼントしてくれたものです。以来節目節目に贈られたバーキンは、とても大切に使い込んでいます。上質でタイムレスなバッグだから、カジュアルさえも、コンサバに仕上げてくれる。その存在感にいつも魅了され続けています。

ITEM

7

本気で歩く日の
バレエシューズ

旅や行楽で一日中歩く日は決まってバレエシューズ。旅先で買い足すことも多く、特にランバンは、素材の柔らかさとクッション性、軽さとフィット感が本当に優秀で裸足よりもラクなほど。ホテルの部屋に戻っても、脱ぐのを忘れるほどの快適さ。コンパクトに収納できるところも旅には最適です。

ITEM

8

センタープレスの パンツ

変わらず好きなアイテムに、センタープレスのパンツがあります。細身、ワイド、デザインは様々ですが、共通しているのはセンタープレスということ。今気に入っているのは、マックスマーラのリネンのフルレングスと、バレンシアガのワイドのストレート。旬な気分ときちんと感のバランスが絶妙なんです。

ITEM

9

ADOREの ネイビーアイテム

かれこれ10年近く園や学校の行事に行っていますが、最近はアドーアのネイビーが中心です。どのアイテムもコンサバだけど、ほんの少しトレンドが感じられる。行事服って、なんだかいつもの私と違う……と地味な気持ちに陥りがちですが、普段の自分と同じテンションで過ごせるのが魅力です。

ITEM

10

HERMÈSの スカーフプリント

洋服では柄物をほとんど持っていません。30代になって好きで取り入れるようになったのがスカーフ柄の小物。今日はどこか足りないなと思った日に加えると、コーディネートのスパイスとなって着こなしに立体感が出ます。単色の差し色よりも、ラグジュアリーな雰囲気がプラスできるんです。

ITEM

11

仕上げの ポインテッドトウ パンプス

朝、コーディネートが決まり鏡の前に立つ。そのとき私は必ず、一歩下がってトータルのバランスを見ます。そして最後に靴を選ぶのですが、圧倒的に多いのがポインテッドトウのパンプス。たぶん私の丸い輪郭の顔にシャープな足元が加わることで、自分らしいベストバランスが生まれるのだと思っています。

ITEM

12 シーズンごとに更新するデニム

３日に一度くらいの割合ではいているデニム。長く使えることを第一に考える私が、唯一流行を意識するアイテムです。シーズンの初めにとことん試着して１本を厳選。今はゆとりのあるシルエットの九分丈が中心です。左からJ.BRAND、LEVI'S、NEIGHBORHOOD。

ITEM

13

毎日に欠かせない
サングラス

車の運転や、仕事に行く朝などほぼ毎日かけています。なかなか似合うものを見つけるのが難しいので、出会ったら必ず色違いで購入。私の輪郭には少し縦長のデザインがフィットします。今はこの２タイプ。ボストンタイプは、A.D.S.R.、ティアドロップはNEIGHBORHOOD。

ITEM

14

優しげな表情の白ブラウス

オールシーズン活躍する白いコットンのブラウス。フリルやレースのような可愛さのある服は、１枚で着てもきちんと見える母らしいアイテム。コンサバに着るだけではなく、デニムやボリュームのあるサンダルをミックスします。左からモスキーノ、N°21、トーマスマイヤー。

ITEM

15

1枚でスタイルが完成する デザインニット

シンプルニットも好きですが、最近惹かれるのがデザインニット。あれこれコーディネートを考えなくても着映えがしますし、温かみがあるニットは少しくらい冒険をしても私らしくいられます。上からRalph Lauren、PRADA、MARNI、Drawer、DEREK LAM、CÉLINE、MARNI。

ITEM

16

雨の日の贅沢 TOD'Sのタッセルローファー

決して雨の日用の靴でないことはわかっているんです。でも、雨でもきちんとした格好が必要なことがありますよね。そんなときにレイン用シューズでイマイチな気分で過ごすより、きちんとした靴で出かけられたら、それだけで気分が上がる。雨の日を元気に過ごす私なりの処方箋です。

ITEM

17

年々増えてきた
ボリュームサンダル

夏になると、服の素材感が軽くなり、全体のバランスが変わるので、足元に重みが欲しくなります。ルーズなシルエットの服でも、ボリュームのあるサンダルを合わせるとスタイルアップもできてしっくりきます。左からMARNI、FENDI、MARNI、Gianvito Rossi。

ITEM 18

1枚でお出かけができるTシャツ

Tシャツは質にこだわって選ぶと１枚でもお出かけできる存在感が出ます。着ている本人だけの満足感ですが肌触りや微妙な肩の落ち感、着心地が明らかに違って、良いものは学校へ行くジャケットの下にも着られる上品さがあります。上から３着がJIL SANDER、グリーンがACNE。

ITEM

19

構築的なMARNIの
レザージャケット

インパクトアウターが便利なことに最近気づきました。１枚で素敵に見えるし、自分らしさも表現できる。このジャケットはリバーシブルで、ずっと着たいと思える１着。実は、長女の名前を〝まるに〟ちゃんにしようと思っていたくらい（笑）、昔から好きなブランドのひとつです。

ITEM

20

メンズライクな
アンティーク小物

いつものスタイルにメンズライクな小物が入ると深みが出たり程よく抜け感が加わったりします。すべてヴィンテージに詳しい主人が日本や海外で選んでプレゼントしてくれたもの。男性目線での素敵なものは、身につけていると周りの男性からの注目を浴びることもよくあります。

PRIVATE SNAP

きちんと感のあるコンサバが私のベーシック。そこからマイナーチェンジしたり新たな発見があったり、子供たちの成長や自分の年齢と共に、似合うものも変わっていきます。今、一番私らしい20のベーシックアイテムを盛り込んだ〝今日の私はこんな感じです〟。そんな気分の私服スナップです。

Trench coat / Drawer
Tops / JOSEPH
Pants / BALENCIAGA
Shoes / Sergio Rossi
Bag / HERMÈS
Sunglasses / A.D.S.R.
Watch / ROLEX(vintage)

Tops / RALPH LAUREN RRL
Pants / RALPH LAUREN RRL
Sandal / Saint Laurent
Bag / RALPH LAUREN
Watch / PATEK PHILIPPE
Jewelry / Tiffany&Co.

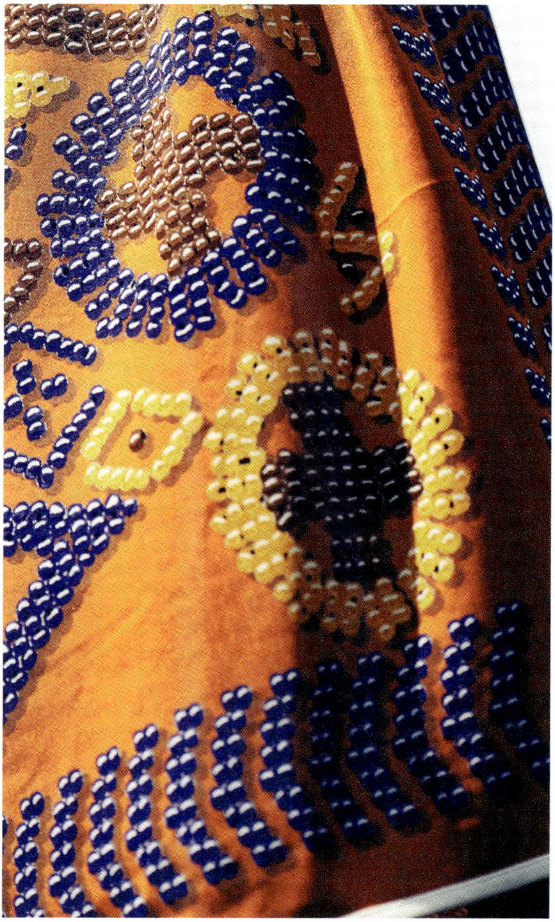

One-piece / ACNE
Shoes / Pierre Hardy
Bag / CÉLINE
Hat / Borsalino
Scarf / HERMÈS

Jacket / MARNI
Denim / upper hights
Shoes / Gianvito Rossi
Bag / GIVENCHY
Watch / Chopard
Ring / Harry Winston

Jacket / BALMAIN
Pants / The SECRETCLOSET
Cut & Sewn / ACNE
Shoes / Manolo Blahnik
Watch / ROLEX(vintage)
Jewelry / Tiffany&Co.

Knit / J.W. ANDERSON
Pants / CÉLINE
Bag / Azzedine Alaia
Watch / ROLEX(vintage)

Tops / HERMÈS
Pants / Stella McCartney
Shoes / Sergio Rossi
Bag / CÉLINE
Watch / ROLEX(vintage)
Jewelry / Tiffany&Co.

Knit / CÉLINE
Pants / Drawer
Shoes / Gianvito Rossi
Bag / HERMÈS
Sunglasses / A.D.S.R.

Tops / ACNE
Pants / Stella McCartney
Shoes / Sergio Rossi
Bag / FENDI
Watch / ROLEX(vintage)
Bangle / HERMÈS
Jewelry / Tiffany&Co.

Cut & Sewn / JIL SANDER
Pants / MAX MARA
Jewelry / Tiffany&Co.
Sunglasses / A.D.S.R.

Shirt / Charvet
Pants / Stella McCartney
Shoes / Saint Laurent
Bag / HERMÈS
Watch / ROLEX(vintage)
Jewelry / Tiffany&Co.

Tops / YOKO CHAN
Denim / LEVI'S(vintage)
Sandal / MARNI
Bracelet / Tiffany&Co.

My Basic 03

私の24時間の作り方

毎朝4時45分に起きてウォーキングに行くことから滝沢さんの1日は始まります。モデルになった今も主婦であること、お母さんであることがいつも最優先。1日の流れはなるべくいつも同じが心地いい。そのブレない姿は彼女の大きな魅力のひとつです。〝主婦って楽しい〟と言い切り、家庭でのひとつひとつのことに手間を惜しまない姿勢は、ともすると単調でつまらないと思われがちな主婦業が、有意義で楽しい仕事であることを教えてくれます。「もういっぱいいっぱい」と口では言いながらいつも最高にイキイキしてる、そんな滝沢さんの24時間に迫りました。

15年で培った段取りの良さ！24時間スケジュール最新版を紹介

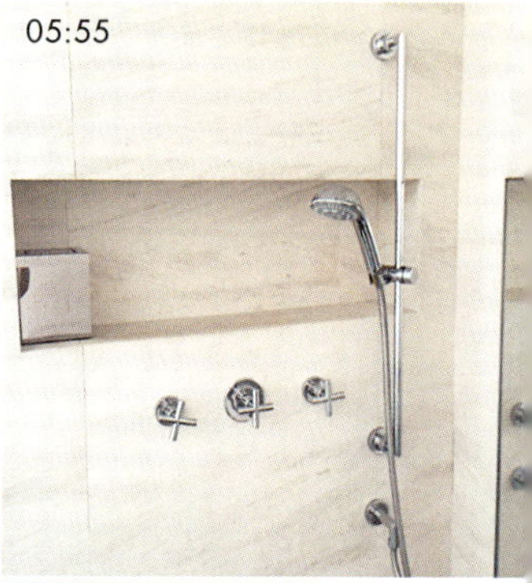

05:05　05:55
07:05　07:15　13:30：VERYの撮影は07:30に家を出て14:30に終了がルール
19:00　19:45

4:45	5:00	5:05	5:55	6:10	6:20	6:35	7:00	7:05	7:15	7:30	15:00
起床。身支度	長女を起こす	ウォーキングに出発	帰宅してシャワーを浴びる	あらかじめ洗っておいた洗濯物を干す	家族を起こす。朝食の準備	みんなで朝ごはん	片付け。キッチンとダイニングを掃除機がけ	観葉植物の水やり	娘たちの髪をまとめる	VERYの撮影へ	帰宅

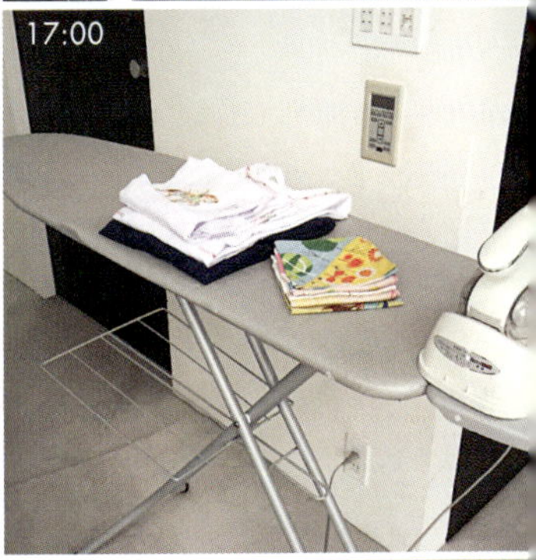

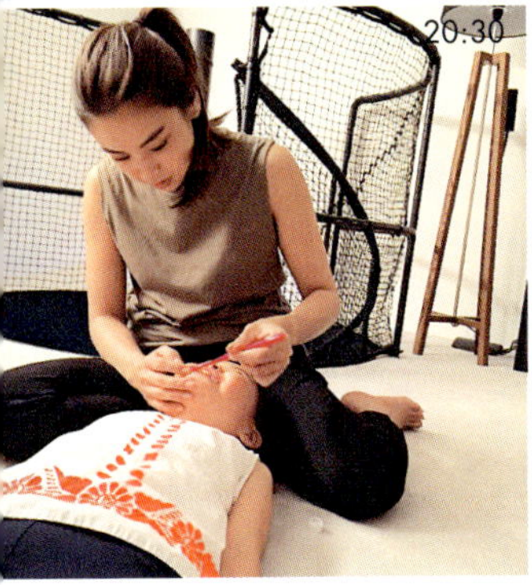

06:35 朝食は必ず、家族全員でいただくのが滝沢家のルール。

07:00

15:30

16:30 塾や習い事は、3人で10個になります。毎日送り迎えです。

17:00

20:30

22:00 学校と塾で忙しい長女とは、お風呂が唯一話せる時間。

22:35

15:30	16:30	17:00	17:15	18:00	19:00	19:45	20:30	21:00	21:30	22:00	23:00
夕食の下準備	子どもたちを習い事へ送る	アイロンがけ	スーパーで買物	夕食の準備	夕食	長男・次女の宿題を見る	長男・次女のお風呂	長女の塾のお迎え	長女の夕食を出す	長女と一緒にお風呂。その後、勉強を見る	就寝

台所

可愛いものは一切なし
シンプルで飽きのこない
ちょっと男前な私らしい空間

自分の部屋がない主婦にとって
キッチンは自分の部屋のように大切な場所。
1日3～4時間を過ごすキッチンは
私が心地よくいられて
家の中で一番キレイにしておきたいところです。
キッチングッズと家電はすべてブラック×ステンレス。
素っ気ないくらいシンプルで、
丈夫そうなものが並んでいます。
このキッチンで毎日私が作る料理は
ごくごく普通のごはん。それでも
子供たちは世界一おいしい！と言ってくれます。
お母さんの味は一生忘れられないものだと思うと
責任重大。また今日も頑張らなきゃと思います。

Ziploc

冷蔵庫横のスペースは
毎日のように使うものを収納

3段目には毎日使うコースターやお盆を収納。子供たちが自分で運べるように木製のお盆をネットで購入しました。4段目の引出しには、楊枝のような細々としたものからエアコンのリモコンまで、いろいろ入っています。

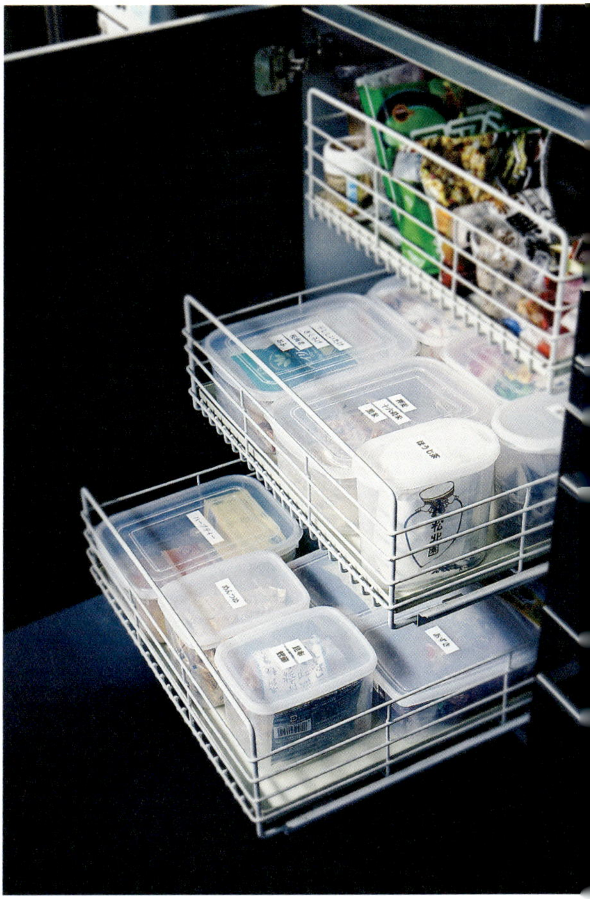

乾物は100円ショップの
プラスチック容器を活用

使い切ることがむずかしい乾物は分類してプラスチック容器に収納。その時々でよく使う乾物が違うので、定期的に整頓します。和食に欠かせない乾物類は、こうしておくと何がないかすぐにわかるし、ムダに買うこともなくなって便利です。

キッチン家電はハンサムな
ブラック×ステンレスで統一

炊飯器は最近買い替えた象印のもの。コーヒーメーカーは、コーヒーとデカフェの両方を用意。毎朝スムージーを作るバイタミックス。ジューサープレスは主人が独身時代から使っているものです。日に何度も使う道具は、外に出しておくからこそ整然と見えるように並べています。

滝沢家の日々の食卓を
ブログから
ピックアップ！

我が家の食器は朝食に使う白い洋食器以外は、ほぼすべて有田焼。食卓を彩り良く上品に見せてくれて、ずっと変わらない安心感があります。夕食は、時間のあるときに常備菜を作り、少しずつ小皿に盛って出すようにしているのですが、食育のためにも一食の中で、焼く、煮るなどの調理法と、酸っぱい、甘い、辛いなどの味がなるべく変化に富むように気を配っています。子供たちにも食育の一環として、良い食器を長く大切に使うことを学んで欲しいですね。

和食はもちろん 洋食にも合うから 我が家の食卓は 有田焼

4〜5年前からデパートで見つけて少しずつ買い始め、有田焼専門のお店を見つけてからは時間があると訪れています。今では一人時間の楽しみのひとつになり、コレクションもずいぶん増えました。有田焼は軽く、薄くて重ねやすいので、収納にも便利。家族が多いので食洗機に入れて洗える気軽さも魅力です。我が家の子供たちは大の和食好き。とかく地味になりがちな和食も、青と白のお皿がキリリと引き締め美味しそうに見せてくれるんです。大皿は取り分け料理だけでなく、パスタやハンバーグなどにも使うので、角皿やオーバル皿など存在感たっぷりに。何かと出番の多い銘々皿はスッキリしたデザインを選びます。小皿や豆皿は、小さい器ならではの派手柄で！ 形や柄の面白い小さなお皿が並ぶと、それだけで食卓が楽しくなるんです。

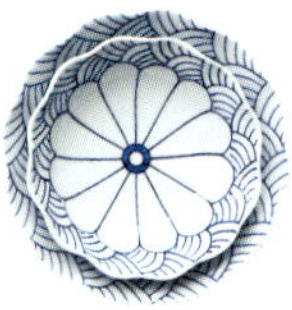

清々しい柄で使いやすい、青絵が定番。食器は5枚で買うのが普通だと思うのですが有田焼は違う柄同士を組合わせても素敵だから、あえて違う柄を組合わせて2枚ずつ買うことも。**1**小皿はおかずを1人分ずつ盛り付けるのに活躍。**2**欠けてしまった食器はプロにお任せして金継ぎをして長く大切に使っています。**3**そば猪口はアイスやヨーグルトを盛るのにぴったり。

2

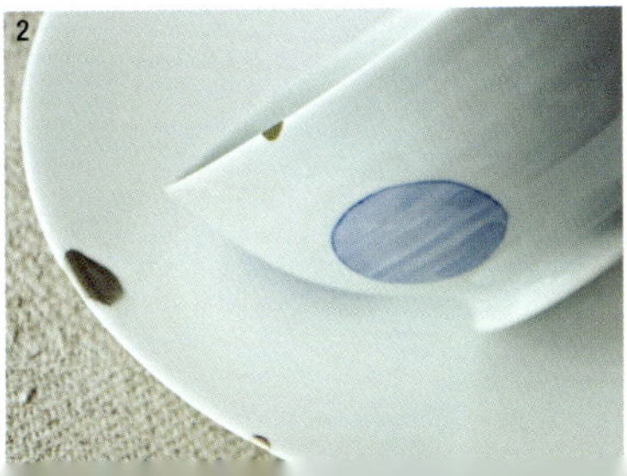

3

美容

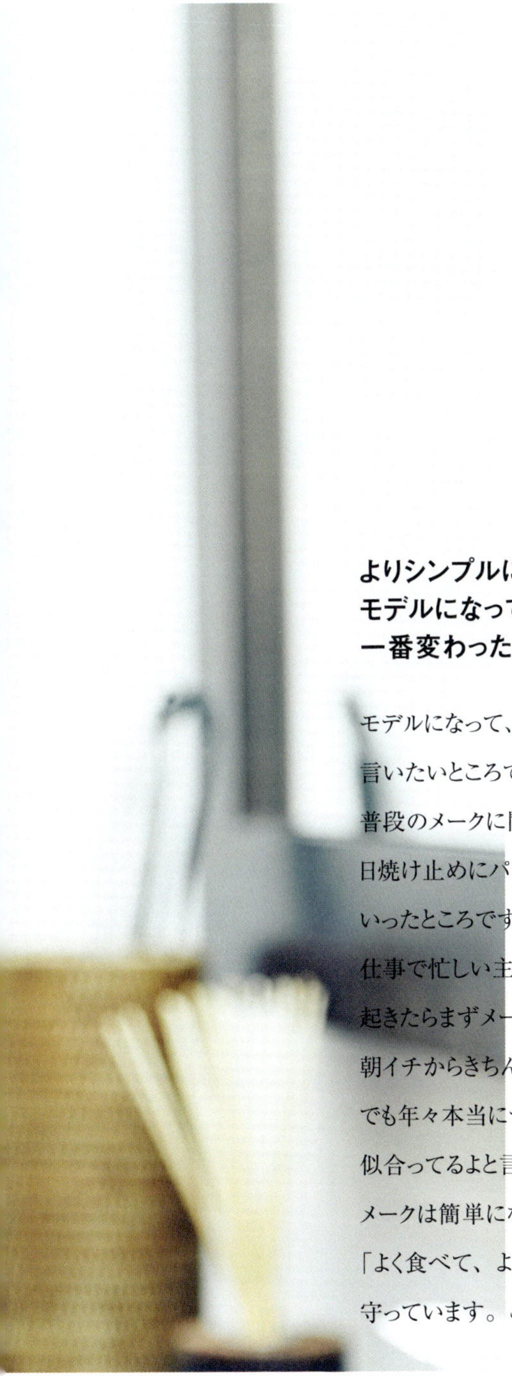

よりシンプルに、より時短に。
モデルになって
一番変わったのが美容

モデルになって、美容に気を使っています　と
言いたいところですが意外とそうでもなく
普段のメークに関してはどんどん簡略になって
日焼け止めにパウダーをはたくくらい。所要時間10分と
いったところです。以前専業主婦だった頃のこだわりは
仕事で忙しい主人に朝くらいはキレイな私を見てもらおうと
起きたらまずメークをし、髪も巻いて、
朝イチからきちんとしていたものでした。
でも年々本当にナチュラルなほうが
似合ってるよと言われるようになりました。
メークは簡単になっていますが、土台になるカラダや肌は
「よく食べて、よく寝て、運動する」という基本を
守っています。これ以上もこれ以下もないです。

ヌーディな仕上がりですが
お出かけや学校行事も
これでOK！

ベースは気になるところがあれば、アディクションのパーフェクトコンシーラーで消し、同じくアディクションのルースパウダーで日焼け止めのテカリを抑えて終了。目元はケイトのアイブロウペンシルで眉を整えて、クイックアイライナーでラインを引く。デジャヴュのマスカラをつけて、アイシャドウはその時々で使わない日もありますが、ルナソルのスキンモデリングアイズ#01を、もう何年も愛用しています。アディクションのチークをサッと入れて、リップはベースにローラメルシエのリップステイン ピーチグレース（販売終了）を塗った上に、その日の服に合わせてレブロンのカラーバーストバームを重ねて終了。所要時間は10分です！

スキンケアはイプサをラインで揃えて愛用中

日焼け止めのプロテクターはべたつかず、つけてもノンストレスで長年愛用中。他のシリーズも試してみたくてクレンジング、洗顔、化粧水、美容液、乳液、クリームまでラインで揃えて購入したら、お肌の調子が整いました。

何もつけずに、完全に乾かすのが唯一のこだわり

髪は丈夫なほうですが1カ月半に一度の美容院でトリートメントをしてもらう以外は、家ではこれといって特別なことはしません。シャンプーは特に決めていなくて薬局でその都度使ってみたいものをセレクトしています。MARKS & WEBのヘアブラシ、KOIZUMIのBACK STAGEというマイナスイオンドライヤーで毎日きっちり乾かす。ちなみにドライヤー中も屈伸など、ながらストレッチをしてます。

美容と健康法は継続型。
一度始めたら、結構何年も続けています

ヴェレダのオイルでマッサージ

ヴェレダのマッサージオイルを使って、お風呂で入浴後に簡単に全身をマッサージしています。お風呂でさっとやってしまうから面倒にならず続けられているんだと思います。

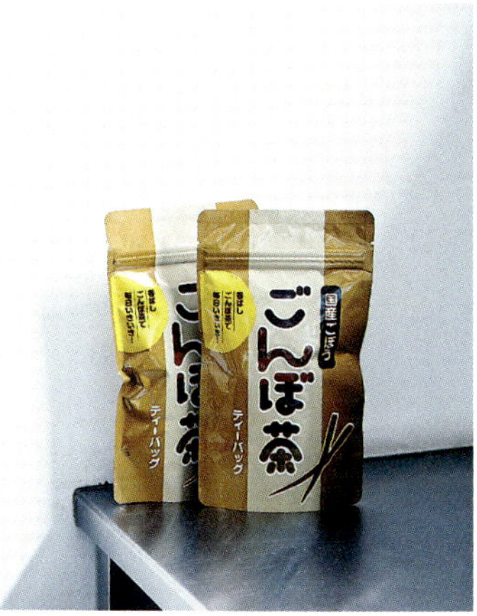

子供も一緒に飲めるゴボウ茶

たまたまTVで見て飲み始めたゴボウ茶は、最初は自分でゴボウを大量に煎じていましたが、甘くて飲みやすい〝ごんぼ茶〟というのを見つけて愛飲中。恵比寿三越で購入しています。

毎朝家族で飲むグリーンスムージー

朝食に飲むグリーンスムージーはもう5年継続中。週末に小松菜やパセリを切ってジップロックでまとめて冷凍保存しておき、朝はバナナやヨーグルトと一緒にミキサーにかけます。

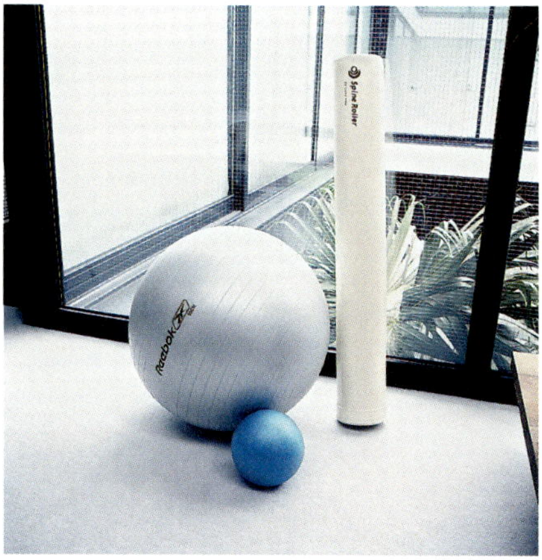

朝の習慣、ストレッチ

ほんの少しの時間でも、毎朝ストレッチをするようにしています。それを効率的にできるようにしてくれるストレッチポールは、インテリアにマッチすることも考慮して選びました。

風邪予防に、マヌカハニー

冬のあいだは免疫が上がると言われているマヌカハニーを毎日摂るように。紅茶に入れたりスプーンで舐めたりしていますが、アクティブ20以上のものを選ぶのがこだわりです。

ゴルフボールで足裏ほぐし

私の得意のながら美容のひとつ(笑)。正しい姿勢で立てるようになるために、ごはんの支度やお皿洗いのついでに足の裏でゴルフボールをコロコロして足裏を緩めるようにしています。

撮影前夜のフェイスマッサージ

クラランスのリフト アフィーヌ トータルVセラムとかっさを使って、顔のマッサージをしています。顔のラインがすっきりするから、撮影前日は必ずやるようにしています。

喉ごしスッキリな毎日の楽しみ

家族みんなが飲むサントリーの炭酸水。レモン味は子供も好きなので箱買いで常備しています。家事の合間にも飲んでますが、お風呂上がりに飲むのが一番の楽しみです。

おうち

変わらず好きなものと
変わりながら進化する空間に
家族の歴史が刻まれています

この家で暮らすようになって、今年で12年目。
家族が増え、子供たちが成長するのと同じように
家も変化してきました。それは、この家を建てたときに
リクエストした、年月が経つほどに味の出る家という
希望が少しずつ叶っているように思います。
スタディールームを作るような大掛かりなリノベーションも
ありましたが、主人と相談しながら選んだ家具の
ひとつひとつが我が家らしさとなっているように思います。
ソファやダイニングテーブルなどは質の良い飽きのこないもの、
そこにヴィンテージや、主人が選んだユーモア溢れる小物が
ミックスされて、自分たちらしいオリジナルな空間になってきました。
インテリアショップ巡りは休日の楽しみでもあるので
これからも少しずつ、家族の成長に合わせながら
居心地の良い場所を作っていきたいです。

少しずつ変化を重ねている
我が家のインテリア
最近はこんな感じです

1

2

1ピアノのあるプレイルーム。天蓋つきのテーブルはFermobのもの。椅子はシェルチェア、ラグはACMEで購入しました。2ガレージの奥に位置する主人のバイクのスペース。3中庭のガーデニングは私も好きですが、最近では朝食の後片付けをしているときに主人がお水をあげたりするのが毎日の習慣となりました。お祭りで取ってきた金魚やみんなが欲しくて買ったカメがどんどん成長したので、ビオトープのスペースも広げてみました。4最近の我が家のリビングに加わった重厚感のあるソファはヴィンテージ加工が施された夫婦のお気に入り。52Fの書斎スペースの灯りは、流木を束ねたようなアーティスティックな雰囲気。6チェストにはお雛さまや兜を飾ることも。4.5.6はすべてインテリアショップ、Michel and Michelで。

3

4

5

6

1

1全員が小学生になったこの春、キッチン隣のスタディールームをリノベーションしました。3人並んで机に向かい、コーナーを挟んで横は私の作業スペース。主人と二人でインスタグラムや本を見ながら、素材選びから棚の幅にいたるまで一緒に考えました。2勉強机の照明は目に優しいLEDでKONCEPT、椅子はJean Prouvéのもの。3中庭に面した位置にはデイベッドのような休憩スペースを作りました。クッションの中のウレタンにもこだわり、上に立っても座っても沈みにくい安定したものを作ってもらいました。

３人が一緒に過ごせる時間を
大切にしたい
そんな想いを込めました

2

3

子供たちの成長に合わせて
リノベーションしたオリジナルな空間

1

2

3

4

5

1子供たちの寝室もこの春リノベーション。ひとりひとりのベッドが一軒家のような夢のある作りに。**2.3.4**アンティークのアルファベットは、不揃いな感じがかわいい。レタリング専門店のNo8で購入。**4**十円玉を入れるとガムが出てくるアンティークのロボットは、何年も前に主人がアメリカのTOY SHOWで購入してきたもの。**5**夫婦の寝室もベージュトーンの落ち着いたトーンで。ベッドはB&Bのもの、スタンドはコンランショップ、アートは最近お気に入りのMichel and Michelで購入。

家をきれいに保つのに欠かせない！
愛用中のハウスキーピングItem

ITEM:01

モップ

ITEM:02

石けん

ITEM:04

アイロン

ITEM:03

スポンジ

ITEM:05

台拭き

ITEM:06

霧吹き

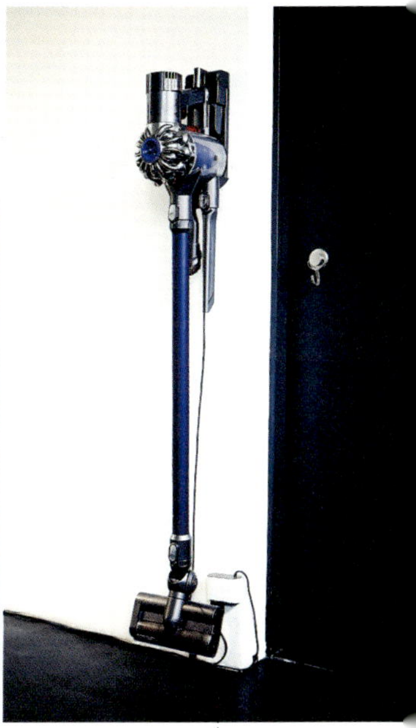

ITEM:09

掃除機

ITEM:08

サンダル

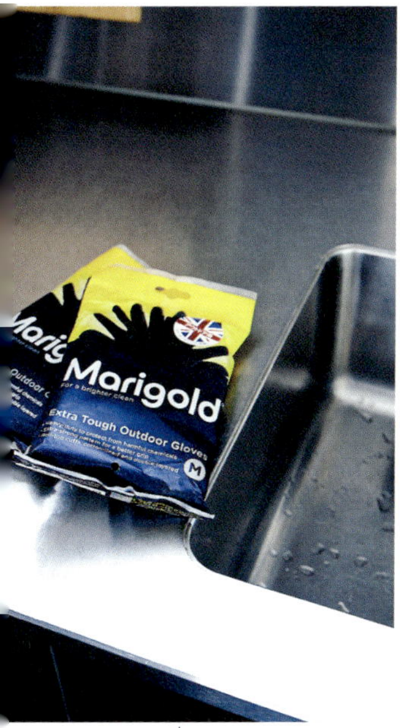

ITEM:07

ゴム手袋

1ダスキンモップは、フローリングには手軽で便利。**2**ウタマロ石けんは、面白いほど靴下が真っ白に。子供たちの靴下などを洗濯機に入れる前にしっかり手洗い。**3**スポンジはミッドタウンの212キッチンストアで購入。**4**アイロンは好きな家事のひとつ。子供たちのハンカチから主人のシャツまで結構な量があるので、ゴルフボールで足裏をコロコロマッサージしながらやってます。**5**吸収性の良い台拭きは、ネットでまとめ買いしています。**6**ガーデン用の霧吹きはコンランショップで購入。**7**Marigoldのゴム手袋は、園芸用ですが色で選びました。東急ハンズで購入。**8**中庭でも履いているNEIGHBORHOODのビーサン。色がシックだと並んでいても絵になります。**9**ダイソンのコードレスクリーナーはこれで2台目。キッチン横に設置していて、すぐに出せるのが本当に便利。モップがけの前にさっとかけます。

息抜き

分刻みの忙しさのなかで唯一の
自分にご褒美。大好物の
チョコレートがあれば頑張れる!

お酒を飲まない私には、子供たちが寝た後に
ワインを1杯、なんて優雅なリフレッシュタイムはなく
いつも目一杯のスケジュールをこなして
疲れ果ててベッドに潜り込む毎日。
そんな私の唯一の息抜きが甘いもの!
それも高級チョコや有名スイーツでは嫌なんです。
昔からあるジャイアントカプリコと
明治のミルクチョコレート、チョコミントアイス、
この3つは私のストレス解消に欠かせません。
お出かけ先にサーティワンがあれば
大好きなチョコミントアイスを食べます。
主人と子供がお出かけするとカプリコを
箱でお土産に買ってきてくれたりもします。
ミルクチョコレートは疲れているとあっという間に1枚……
なんてことも。日頃、スムージーを飲んだり運動したり
多少努力していることもきっと
プラスマイナスゼロに……と罪悪感も少々ありますが
でも、息つく間もない1日を走り抜けるための
私にとって大事な時間。やめられません(笑)。

My Basic 04

私の365日の
作り方

誌面やブログなどで見られる暮らしぶりの中で、季節の行事や家族のイベントを積極的に楽しんでいる滝沢さん。そこにはお母さんとして、毎日を楽しく過ごすためのエッセンスが詰まっています。日本らしい折々の伝統行事をきちんと子供たちに伝えるだけでなく、日常のイベントのひとつとして今っぽくアレンジして楽しむこと。数日前から少しずつ準備を進める段取りの良さ。子供との思い出を手作りで残すアイデアなどを紹介します。

MARCH

お正月

一年の始まり
我が家流のお正月を伝えたい

私が子供の頃、祖母や母と一緒に作った栗きんとんや黒豆など
何日もかけて作ったおせちは、そのゆっくりとした時間と共に温かい思い出として
私の記憶に残っています。家族みんなで大掃除をして、門松を飾り、おせちを作る。
そんなごく普通のお正月を私も子供たちに伝えていきたいです。
今年のお正月から登場した犬張り子は、台東区谷中の菊寿堂いせ辰で作りました。
可愛らしい縁起物はこれから毎年我が家のお正月の定番となりそうです。

1 初詣では毎年私の地元、亀戸天神へ。おみくじが当たるんです。**2.4** リビング中央の枝物は、いつも自分でアレンジします。**3** 1月7日は無病息災を願って七草粥をいただきます。子供たちも大好きで何日か連続で作ることもあります。**5** 今年は我が家に親族も集まって賑やかなお正月でした。**6** 主人の会社の社員とその家族の皆さんで毎年恒例となった新年会を兼ねたお餅つき。つきたてはやっぱり美味しい！

節句

子供の頃、母にしてもらった記憶と
同じように祝います

雛祭りはバタバタと忙しい平日なことが多く
端午の節句はゴールデンウィークでほとんど旅行中。
でも、毎年お雛さまや鎧兜を飾って、ちらし寿司などを作ります。
忙しいと忘れがちになりそうなお節句ですが、
娘たちがお母さんになったときに困らないためにも、きちんとお祝いしています。
我が家の兜は、息子が生まれてすぐに主人が吉徳大光で気に入って購入した
ダース・ベイダー仕様。リビングに置いても違和感なくしっくりとなじみます。

お雛さまも吉徳大光で購入。実家から持ってきた七段飾りもありますが、最近はリビングに置ける一段のものを飾っています。

鯛の焼き物と煮物の準備。ちらし寿司と尾頭付きの鯛があるだけで、お祝いらしさが出て食卓が華やぎます。

雛祭りが近くなると、おやつも季節を感じられるものを用意します。大好きな叶 匠壽庵の桜餅と草餅。もちろん私も一緒に。

ちらし寿司とはまぐりのお吸い物が、我が家の雛祭り定番メニューです。天ぷらや煮物で彩りと栄養もバランス良く。

リビングの枝物も、桃の季節に相応しいものに。2月の終わりから飾り始めるとリビングが春らしく華やぐのが好きです。

クリスマス

サンタさんがやってくる
我が家のクリスマス

毎年街がイルミネーションで賑やかになってくると
我が家もクリスマスの飾りつけを始めます。
当日はケーキを買って、家族で少し華やかな食卓を囲むくらいですが。
メインイベントはサンタさんからのプレゼント。
いつまで信じてくれるかわかりませんが、
パパサンタは毎年やってきてくれます。

1

2

3

4

5

6

7

8

1.2.6 オーナメントは、毎年テーマカラーは変えますが、使えるものは使い、買い足して飾ります。ツリーの他に、玄関、暖炉周りにもリースを飾ります。**3** 子供たちが幼稚園や学校で作った作品も、楽しげな飾りになります。**4.7.8** クリスマスは、おじいちゃんやおばあちゃんも交えて家族で祝うことが多いので、チキンだけでなく、お料理は和洋折衷で用意します。**5** コンランショップで購入した赤や黄色のお皿でクリスマスらしいテーブルコーディネートに。

お誕生日

年に3回だから
すっかり段取り上手に

子供たちのバースデーももちろん大切にしているイベントのひとつ。
お友達を招待するときもしないときもありますが、
ケーキやバルーンの飾りつけなど、
できるだけ華やかにしてあげたいと思っています。
時間のない平日のお誕生日だって空いた時間を使って少しずつ準備すれば、
子供たちは思った以上に喜んでくれます。

1

2

3

5

4

6

7

8

1.3 長女のバースデーでは、パステルカラーをテーマに飾りつけ。**4.7.8** お招きの人数が多いときは、スペースごとに飲み物コーナーや、お絵描きコーナー、遊ぶコーナーなどを作っておくと、スムーズです。**2.5.6** お料理は作るものと、ケータリングの両方にすると、お母さんも当日一緒に楽しめます。

1週間前から準備するのが お母さんがくたびれないコツ

2012年のVERY誌面で
紹介し大反響だった、
滝沢さんの誕生日会の段取り上手ぶりを
改めてご紹介します。

1週間前

必要なものをネットでオーダー

今回は風船と飾り、食器を注文。お店で探すよりイメージ通りのものが見つかります。

お友達にご招待のお手紙を書きます

お母さん同士が連絡を取り合って、まずは子供が自分でお手紙を書くところから。

3日前

割れない素材の子供用食器の準備

洗ってまた使えるように、メラミンの食器を購入。このシール剥がしが、地味で大変！

お返し用ギフトの準備をします

長女と一緒に選んだのは、キャス・キッドソンのメッセージが書けるレター付きハンカチ。

前日

壊れそうなものはあらかじめ撤去

花器や子供たちが作った紙粘土の作品など、壊れやすいものはしまっておきます。

お絵描きコーナーを作っておきます

お絵描きなど子供たちが遊べるスペースを作ります。鉛筆もきれいに削っておきます。

風船に空気を入れて飾りつけは完了

今回飾りのバルーンは、エア入りをオーダー。風船は子供たちと一緒に膨らませます。

花もテーマのパステルカラーに

パステルカラーのガーベラをたくさん活けて、女の子らしい雰囲気にしました。

絵を子供らしいものにチェンジ

いつもかかっている大人っぽいものから、子供が喜びそうなアートに変えて明るく。

当日

家中のゴミ箱をキレイに拭きます

小さな子がいると意外な場所を触るので、最後にゴミ箱をもう一度拭いておきます。

プールの水は当日入れます

子供たちは水遊びが大好きだから、小さな弟妹も遊べるようにプールも準備します。

プールがあるとお風呂も必要

プールを開放すると、ずっと入って体が冷える子が必ずいるので、お風呂も準備。

とうもろこしと枝豆を茹でます

ケータリングもお願いしますが、とうもろこしや枝豆などは、茹でておきます。

手作りアルバム

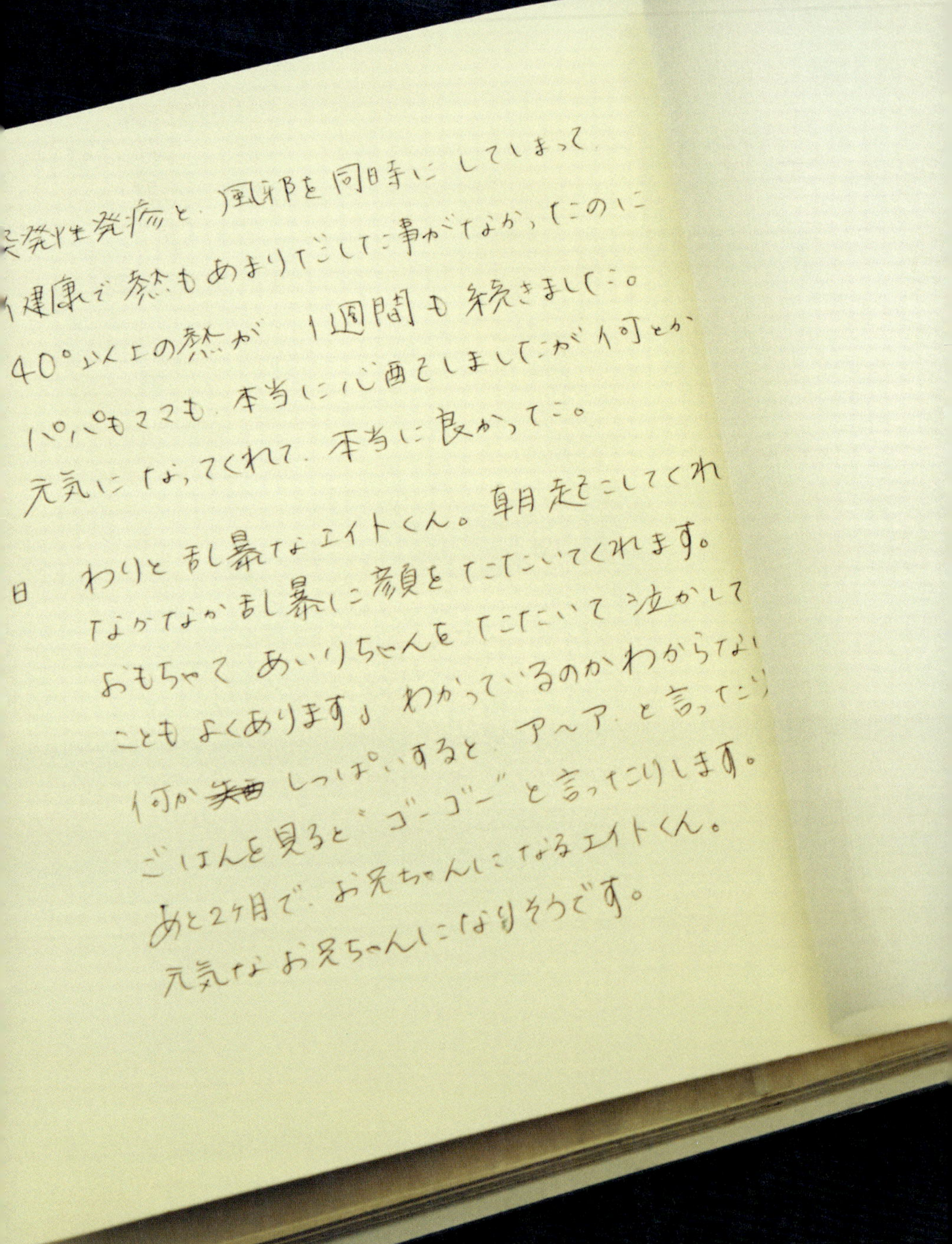
突発性発疹と風邪を同時にしてしまって
健康で熱もあまりだした事がなかったのに
40°以上の熱が 1週間も続きました。
パパもママも本当に心配しましたが何とか
元気になってくれて本当に良かった。
日 わりと乱暴なエイトくん。朝起こしてくれ
なかなか乱暴に顔をたたいてくれます。
おもちゃで あいりちゃんをたたいて泣かして
こともよくあります。わかっているのかわからない
何か~~失敗~~しっぱいすると ア～ア と言ったり
ごはんを見ると"ゴーゴー"と言ったりします。
あと2ヶ月で お兄ちゃんになるエイトくん。
元気なお兄ちゃんになりそうです。

1カ月に1ページずつ。3歳までの3年間。子供たちの成長はアルバムに綴りました

子供が誕生してからの記録を1カ月に1枚写真を選んで、その時々の成長や出来事とともにスクラップした月齢日記。季節感のモチーフを、ペンを使わずすべて切り絵で表現するのが小さなこだわり。思い出を残したかっただけなのですが、大きくなった長女は読んだときちょっぴり泣いていたんです。母としての楽しみのつもりが今では家族の宝物です。

日一日と成長する時期の姿を月齢で残したいと思ったのがきっかけでした

長女の妊娠中に、ザ・コンランショップでシンプルな画用紙だけでできたアルバムを見つけ、どう使おうかと考え、文と写真で綴っていくことを思いつきました。赤ちゃんはどんどん顔が変わるので、アルバム作りは１カ月に１回と決め、月齢日記としてスタート。もともと細かい作業が好きだったので、月を重ねるごとに楽しくなって（笑）。子供たちが寝静まってから、リビングでその月の成長や家族の思い出を振り返りながら作りました。大きなイベントがなくても、初めてできるようになったことや、風邪で熱を出したような日常のことが記してあって、後から読み返すと、とても懐かしい気持ちになります。

誰でもできる小さなコツを教えます！

1　写真は究極の１枚のみ。トリミングはしません

子供っぽくなるので写真自体は切りません。それだけで１冊の統一感が出せます。

2　写真を額装するようなイメージでデザインします

メインになる写真の周りをフレーミングするように、モチーフを並べるのがポイント。

3　写真にある色を使うと自然と統一感が出ます

色数の多いタント100なら、カラーバランスが思い通りに取りやすくなりました。

4　ニュアンスカラーを使うと大人っぽい雰囲気に

ビビッドカラーも可愛いですが、ニュアンスカラーを使うとアート風に仕上がります。

5　鉛筆やペンは使わずすべて切り絵に徹します

モチーフの顔は、きれいにペンで描きたいところですが、ぐっと我慢して！

6　下書きの跡が残るとカッコ悪い！

どうしても鉛筆の跡が残るので、下書きはせず、ゆっくり丁寧にパーツを仕上げます。

●アラビックヤマト＆つまようじ

細かいモチーフを貼るときは、つまようじを使って丁寧に糊付け。星や動物のヒゲなどは、先端までしっかりと糊をのばすのがきれいに貼るポイント。ディテールが丁寧だと完成度がアップするので、なんでもない道具が欠かせません。

●タント100

この絶妙なニュアンスカラーが揃ったカラーペーパーがあると、ぐっとアートっぽさが増します(笑)。折り紙よりも厚手で、カラーバリエーションが豊富なので、植物や動物の微妙な色使いが、切り絵でもうまく表現できます。

●カッター＆カッター台

下絵が残るのがイヤで、描かずにぶっつけ本番で色画用紙を切ります。アルファベットなどの細かいくり抜き部分は、ハサミよりカッターが断然便利。回を重ねるごとにカッター台の必要性を感じて購入しました。切り絵には必需品です。

●切り抜きスタンプ

切り抜きスタンプはカッターでは難しいモチーフ作りに便利です。いっぱいなくても数種類あれば十分。クローバーも色や形の一部を変えれば、紫陽花や桜になります。たくさんちりばめたいモチーフには大助かりなアイテムです。

---

7 **難しいモチーフはお気に入りの絵本を参考に**

難しいモチーフを作るのには、子供のお気に入りの絵本が大いに役立ちます。

8 **月1回作ればいい月齢アルバムなら長続きします**

1カ月に1枚と決めることで、負担にならず、長く楽しんで続けられました。

アルバムから、12カ月のデザインを公開します

1月　ハワイの写真ですが、あえてお正月らしく和の雰囲気で。紅白でフレーミングし、鏡餅の台の色を左右で微妙に変えてあるんです。

2月　ミッキーが大好きだった時期、ディズニーランドでの一コマ。リアルミッキーは絵本を見ても難しくて断念してシルエットで。

5月　長男のアルバムは、男の子なので植物や動物のモチーフが多いです。〝MAY〟の色は、空と海のブルーにしました。

6月　クローバーのスタンプを利用して紫陽花に。グラデーションの2色を使うことで、花が立体的になります。葉っぱもスタンプで作成。

9月　どうしたらお祭りらしさが表現できるか考えてカキ氷と金魚すくいに。金魚の赤と水の水色をベースに色のトーンを抑えめに作りました。

10月　ドングリを小さくたくさん作るか、大きく作って顔をつけるかを、さんざん迷ってこの形に(笑)。地味色なので文字は明るく黄色で。

3月 おままごとが大好きな時期で、私に「どうぞ」とケーキを出してくれたりしました。よく使っていたおままごと道具をモチーフに。

4月 靴が大好きで私のハイヒールを玄関から持ってきては歩いていた時期。私が作ったお洋服のパープルをモチーフにも入れました。

7月 ハワイで見たきれいな虹と南国らしいヤシの木でフレーミング。太陽の笑顔もペンで描かず、すべて切り絵で仕上げています。

8月 1歳のバースデーパーティで使ったハートの風船をモチーフに。風船や文字も大きさや形をまばらにして、手作りっぽさを演出。

11月 3歳の七五三は曇り空だったので、空に雲を。落ち葉は切り抜きスタンプなので、簡単にできたデザインです。

12月 入院することになり、クリスマスは病院で過ごすことになったある年の12月。ツリーの植木鉢は同系色を重ねてレンガ風に作りました。

週末

2014

1 ふなばしアンデルセン公園

［ 千葉県 ］

アスレチックや水遊びができる公園。この頃は小学生と幼稚園生という年齢差があっても、3人みんなが楽しめる場所をいつも探していました。帰りには地元野菜の直売所にも寄ったりして、新鮮な野菜を買えて私も満足。

5 市原ぞうの国

［ 千葉県 ］

動物園到着前にお腹が空いてしまい、途中バーベキューでランチ。行き当たりばったりの休日は、何より贅沢に感じました。動物園では、実際に象に触れたり、ラクダに乗ったり。思いのほか人懐っこいラクダに感動！

2014

2014

4 小松沢レジャー農園

［ 埼玉県 ］

コンビニで買った本に載っていて、ココは楽しそう！と朝、急遽出発。カブト虫を捕まえたり、魚のつかみ取り、竹とんぼ作り、茸狩り、バーベキュー、流しそうめん……。一日いても時間が足りないくらい遊べました。

2 マザー牧場

［ 千葉県 ］

何度も行っているマザー牧場は子供たちが大好きなところ。季節のフルーツ狩りもできたり。車の運転は得意なので、片道2、3時間のところなら主人がいなくても小さな頃から3人を連れてよく出かけていました。

3 みかん狩り

［ 神奈川県 ］

みかん狩りだけではつまらないと言い出すと思い、お芋掘りや芝滑りなど、他にも遊び場をネットで下調べ。案の定、盛り上がったのは芝滑り（笑）。帰り道で見つけた湖でボートに乗ったり、出かけるととことん遊びます。

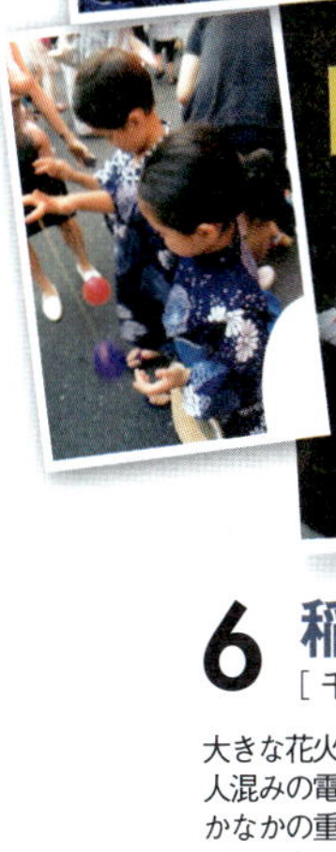

6 稲毛海岸 花火

［ 千葉県 ］

2014

大きな花火が迫るような体験をさせてあげたくて。でも人混みの電車に乗って、歩いて、子連れの花火見物はなかなかの重労働。帰りも眠い、足が痛いと言う子供を抱っこしながらでしたが、それもまたいい思い出です。

家族旅行

1 New York
[ニューヨーク]

NYは結婚後二人で行った大好きな街。'13年に初めて家族で行きましたが、意外にも子供たちの一番のお気に入りとなり、２回目の旅でした。将来はNYで働いてみたいそうです。宿泊はマンダリンオリエンタルホテル。

4 Guam
[グアム]

３人を連れて初の海外。まだ小さかったので、近くのグアムへ。旅支度も子供のものはあれもこれも完璧にして行ったのも今となっては懐かしい！ 宿泊は立地的にも便利なハイアットリージェンシー。

5 Hong Kong
[香港]

主人のお店のオープンの際に家族みんなで同行しました。香港版ファミレスのすいかレストランはパンも美味しく子連れにオススメ。宿泊はマンダリンオリエンタル香港。朝から飲茶もいただける朝食が最高でした！

2 Taketomijima
［ 竹富島 ］

ちんすこう作りなどのアクティビティーが、暑い日中は助かりました。星の観察ツアーなどもあって小学生はとても楽しめます。子供たちが赤ちゃんの頃、スパに行くのが夢だったけど、ついに竹富島で体験！ 宿泊は星のや。

3 Hawaii
［ ハワイ ］

マウイ島はオアフ島より人も少なくリラックスムード。宿泊したフォーシーズンズのセレクトショップが可愛くて、館内ショッピングも楽しめました。写真を見ると肌がポツポツ……モデルを始めてストレスを感じていた頃。

6 Las Vegas
［ ラスベガス ］

世界遺産のグランドキャニオンが見たくてラスベガスに。ヘリコプターから眼下に見えるグランドキャニオンは大迫力でしたが、子供たちはゲロゲロ。それも今となっては笑い話です。宿泊はフォーシーズンズホテル。

7 Okinawa
［ 沖縄 ］

実は主人も私も初の沖縄。暑い日中の後食べるソーキそばがたまらない！ 以来、東京でも沖縄料理のお店を探して通っています。宿泊はザ・ブセナテラス。室内、屋外両方のプールがあって、子連れには助かりました。

My Basic 05

今までのこと
そして、
これからのこと

子育て真っ最中の専業主婦が雑誌の専属モデルになるというのは、それまで前例のないことでした。だからこそ、そこには人知れず悩んだり、葛藤したことがあったのも事実。滝沢さんのこれまでが「ある日突然スカウトされてモデルになった、ママのシンデレラストーリー」ではなく、不器用ながらもいつも目一杯の頑張りで自ら扉を開いてきた歩みがあったこと。そして、実は結構サバサバしていて男前な一面もある彼女の素顔が垣間見える、ロングインタビューです。

LONG INTERVIEW

■ 専業主婦時代のこと

――― 大学卒業と同時に結婚して家庭に入ったんですよね？

はい。大学生の頃に知り合った主人はちょうど仕事が忙しくなり始めた時期で、まずはそこをしっかり支えたくて結婚して家庭に就職した感じでした。

――― どんな風に過ごしてた？

実家を離れたのが初めてだったので、まず話し相手がいなくて、大型犬２頭と話してたくらい（笑）。友達もみんな働きだしたところで忙しいし。でも今思うと、かなり健気に主婦業を頑張ろうと一生懸命でした。元々主人が暮らしていた家でスタートしたので、ここをどうキレイにしよう、できることはないかなって、常に探していたような。当時、主人は仕事柄Tシャツをたくさん持っていたんですけど、それを綺麗に畳みたいと思って。段ボールを切って周りをテープで留めたお手製の板を作って、それを当ててお店みたいに積み上げて満足したり（笑）。あとは料理教室にも行きましたが、食事に関しては要領が悪かったですね。朝から夕飯を作っているときもあったり、買い置きっていうやり方がわからなくて、その日１日分の食材を買いに行ってました。マンゴーが好きって言われたら毎日１個マンゴーを買うみたいな……。今の私が見たらもうツッコミどころ満載ですし、主人もよく黙って見守ってくれたなと思います。要領は悪くてもそんな姿を見て、自然と主人も家庭寄りな考え方をするようになってくれました。夜型だった生活を朝型に変えたり。今の家庭を大事にしていこうという二人のベースができた気がします。

――― ダラダラしようと思えばできたと思うけど、そうはならない？

あまりそういう考えはありませんでした。若くてとても元気だったので（笑）、時間ができたら犬のお散歩にもう一回行ってみようとか、主人の帰りがどんなに遅くても待ってて、必ず夕食を一緒に食べるとか。今思うと主人は私の不器用な性格を見抜いていたんでしょうね。結婚して2年ほど二人の生活でしたが、あの頃の時間があってやっと母親になれる女性になれた気がしています。

■ スカウトされたときのこと

——25歳で最初の子を産んで28歳、29歳でそれぞれ出産。30歳の2009年1月に、恵比寿で読者モデルにスカウト。当時はどんな感じでした？

ちょうど3番目の子が生まれて半年くらいだから、まだ自分では産後の感覚でした。それに上の二人が5歳と2歳で、子育てに追われて寝不足でしたしお腹が空いてしょうがない時期でしたし……（笑）。レストランにもなかなか入りづらい時期だったので、恵比寿ガーデンプレイスのベンチに座って家族でランチにケンタッキーを食べているときに通りかかったVERYのライターさんに声をかけていただきました。

——モデルなんて考えられなかった？

もう全く。初めはお断りしていたのですが、主人が私の代わりに連絡先を教えていました。「ママ、やりなよ」って。わりとすぐに一度お電話をいただいたのですが、今思うと、かなり感じ悪くお断りしていたように思います……。長女は幼稚園に入ったばかりで、2歳の長男は一番チョロチョロして危なっかしい時期だったし。3番目の子は夜泣きもひどいほうで、よく風邪をひいたり大きな病気で入院したりもしている時期でした。毎日が目まぐるしく過ぎていき、正直それ以上のことは考えられなかったんです。

——その後も何度か連絡がきて、8月にやっと撮影に。

生活も少し落ち着いてきて自分の中にも少し余裕が出た頃だった気がします。何度か電話をいただいてるのを知った主人に「ママも昔は若くて可愛かったけど3人も産んで、今写真を撮ったらまぁ、厳しいかもね〜」って言われて……。さらっと出ちゃうほうがかっこいいよっていう、主人なりの後押しだったみたいですけどね。撮影場所も近くだし、一回ぐらいなら出てみようかな、と思ったのが始まりです。撮影の日は主人に子供たちを見てもらって、お昼に1カット40分くらいで撮影してもらいました。そのときは一度だけのメモリーのつもりでしたから。それがその後も続いていくなんて本当に夢にも思わなかったです。

■ モデルになってからのこと

――― VERYモデルになって、戸惑いも多かった？

急に忙しくなったし、慣れないことばかりで撮影を楽しむことはできませんでした。当たり前のことだけど、カメラの向こうでスタッフのみんなが私を見ているのが、まず恥ずかしくてしょうがなかった。

――― スタッフはそれが仕事ですもんね。

そう……わかってはいても恥ずかしいし、みんな真剣な顔をしてるし。そんなレベルでした。顔ではなんとか笑っても、心の中では「無理だ～」って。もっとリラックスできたら良かったのにって今は思います。

――― そして名前を冠した連載がすぐに始まって。

〝タキマキ〟というニックネームで書かれるようになったのもその頃から。連載が始まって、モデルっぽくしなきゃとなんだか焦っていたんです。この体形ではヤバイと思うようになり、無理に走ったりして体調を崩してしまい生理も止まってしまって。その後バーッと顔に吹き出物ができて……。撮影現場で写真をチェックするとどの角度で撮ってもひどかったから、それを見ては落ち込むし。こんな状態で仕事に来てしまいスタッフにも申し訳なくて辛い時期でした。その頃次女が「ママのお顔かいてあげる。まず丸かくでしょ。それからテンテンテン！」とニキビの絵を描くぐらい、ひどかった。病院も何軒も回りましたがなかなか治らず、やっと合う薬を見つけて、治るまでには半年もかかりました。

――― やっぱりストレスですか？

ストレスだと思います。その頃プライベートでも急に声をかけられたり、握手を求められたりすることも増えて。子供たちにも「なんでママと握手するの？」とよく言われました。当時、写真も一緒に撮りたいと言われたときは何となくお断りしていたんです。何しろ初めてだから戸惑うことばかりで。でも主人に「全部応えなよ。だってそれで喜んでもらえるんだから、そんな素晴らしいことなくない？」と言われたことがあって。今思うと必要以上に意識してしまっていたのかもしれないですね。それからはどこにいても自然体でいられるようになりました。

■ 旦那さんのこと

――― 以前、ご主人に、「眞規子さんのどこが一番好きですか?」って聞いたら「ブレないところ」と、言われていました。「急にモデルの仕事をすることになって、不器用なところもあるから、例えばお手伝いさんとか、もっと人の手を借りる方法もあると思ったけど、そうはしない。常に母親業が最優先。すごいなって思います」と。
主人とは何でもよく話しますね。今も思い悩むと、会社の近くでランチの時間を取ってもらったりします。家ではあまり時間もないし、眠いから(笑)。外で落ち着いて話を聞いてもらうんです。主人は見た目はワイルドな感じに見られるんですが、実はすごく穏やか。ときにはちゃんと指摘もしてくれて、フラットな目線で意見をくれる。仕事のことや子供のことまで相談すると心の中が整理できたり、道が開ける感じがします。子育てに関しても、二人で乗り越えることがたくさんありますから。
――― 最近どんな相談をしましたか?
去年は次女の小学校受験があったので、その当時は何度か時間をつくってもらいました。お受験は初めての経験でしたし夫婦で話し合うことがたくさんあって。ときにはイライラして主人に八つ当たりをしたこともありますが、今ではだいぶ反省しています。短い期間でのお受験対策でしたが、主人なりに工夫して毎朝娘と運動してくれたりして、主人の力なくしてはできなかったと思います。子供の成長はもちろん親である私たちもひとまわり成長させてもらった、とてもいい経験でした。
――― 結婚して15年、ずっと仲良くいられる秘訣ってなんでしょう。
うーん、具体的なことはないんですが……〝一生この人〟って決めたんだから、仲良くしていたいなっていつも思ってます。だって、喧嘩したり、浮気したり、そんなの時間がもったいない。あと何年生きられるかって考えたら、そんな無駄な時間はない、って思っちゃうんです。もし喧嘩をしたとしても、結果的に建設的なことにしたい。私がそう思っているから、主人も絶対同じ気持ちだと思います(笑)。

■ 主婦として、モデルとして

――― 滝沢さんの24時間のページでもわかる通り、とにかく家では常に動いてますよね。

確かにじっとしていられない性格だと思います。ダラダラするのは苦手で、規則正しくスムーズに回っている感じが心地いいんです。朝から晩まで動いて、「そんな生活をしていたら疲れちゃうよ」とか、「40代になったらガクッとくるよ」とアドバイスをいただきますが、いいんです。今日1日を目一杯頑張る、それが私らしいのかなと思います。

――― それは、お母さんの影響はありますか？

あるかもしれないです。母は普通の専業主婦でしたがすごく真面目でいつも動いていました。夜に出かけることなんてなかったから、たまにいないと残された家族は大騒ぎするくらいで。今、私が夜あまり外出しないのは、その影響もあるかもしれないです。子供をおいて出かけるのは、もっと大きくなってからいくらでもできるし。でも高校生の頃は、いつも同じようにご飯を作る母がつまらないんじゃないかな？と思ったことがあって、「たまにはお友達と出かけてきたら」なんて言ったこともありました。子供心は難しいもので、お母さんにも楽しんでほしい。でもいつもいてほしい、みたいなところがあった気がします。だからその点は、私なりのスタイルで、主婦業もやるけど外でいきいき仕事をする姿とか、運動したり、パパとお出かけしたり。娘たちにお母さんて楽しそうって伝えたいですね。

――― 今後の目標ってなんですか？

モデルとしての壮大な目標というよりも、いただいた仕事のひとつひとつを一生懸命やっていきたい。そして家庭とのバランスを大事に続けていけたらありがたいな、と思っています。プライベートが充実しているのはその人の内面として表れてくると思うので、そのための努力は今まで通り目一杯やりつつ、欲張らず焦らず、基盤を大切にして頑張ります。

モデルを始めた頃、まさか私のスタイルブックが出る日がくるなんて夢にも思いませんでした。戸惑いつまずきながらの数年間でしたが、このお仕事をさせていただいてきて私にとっての最高の宝物は色々な方と出会えたことです。素晴らしい方々と出会えたことで、あの頃の私より少しだけ大きくなれた気がしています。

今回この本に携わってくださった素晴らしいスタッフの皆様も私の尊敬する方々ばかりです。この場をかりて心から感謝いたします。カメラマンの岡本充男さん、物撮りをしてくださった魚地さん、メーク佐藤さん、木部さん、佐々木さん、ヘアのヤスさん。お手伝いをしてくださったスタイリストの安西さん、石関さん。そして、私をスカウトしモデルへの道を作ってくださったライターの西尾さん。実際の私の言葉を大切に書いてくださいました。マネージャーの伊藤さん。いつも私の心に寄り添ってくれる頼もしい女性です。編集を担当してくださったVERYの鈴木さん。最後まで私をどう表現しようか、悩んで、話し合って、本当に寝る間も惜しんで取り組んでくださいました。そして、大切な大切な家族にも感謝でいっぱいです。子供たちの無邪気な笑顔に救われ主人の優しさに支えられこの出版に至っております。

先日結婚した頃からの写真を振り返ってみました。若い頃の私はピチピチしていてちょっと羨ましかった。あの頃から15年ほど経って、確かにシワも増えたしそれなりに歳をとりました。でも、私は今の私が大好きです。出産、育児、主婦業、仕事……たくさんの経験を通して今の私がいる。色々なことをそれなりに頑張ってきた自分をたまには褒めてあげたい。「あなたが最近気にしているシワはけっこう素敵だよ」って。

これから40代、50代……今からは想像できないことがたくさん待っています。そのときも前より今の私が好き！と言いたい。他の誰でもなく過去の自分に負けないように。だからこそ、焦らずに、今まで通り毎日を丁寧に、精一杯生きていきたいと思っています。

最後に……いつも応援してくださる読者の皆様、この本を手にとっていただいた皆様に心から感謝いたします。

本当に有難うございました。

滝沢眞規子

STAFF LIST

撮影
岡本充男
表紙、P.2-5、31、56-83、85、88、96、97、102-109、112
115、116、118-120、122、126、127、137-149
魚地武大
P.9、32-55、90、91、98-101、110、111

VERY本誌再録分
石倉和夫、金谷章平、亀山ののこ、菊地 哲(Dynamic)
小林愛香、設楽茂男、須藤敬一、曽根将樹(PEACE MONKEY)
長山一樹(S-14)、西崎博哉(MOUSTACHE)
平井敬治、前田 晃(maettico)、水野美隆(zecca)
最上裕美子、和佐田美奈子、渡辺修身＜五十音順＞

ヘア・メーク

佐藤エイコ(ilumini)	表紙、My Basic02、My Basic03
佐々木貞江(Perle)（メーク）	はじめに、My Basic05
YAS(M0)（ヘア）	はじめに、My Basic05
木部明美(PEACE MONKEY)	My Basic02

撮影協力
ロイズ・アンティークス青山　☎03-5413-3666
FUGA　☎03-5410-3707
ティファニー・アンド・カンパニー・ジャパン・インク
0120-488-712

デザイン　Jupe design
編集　鈴木恵子
取材・構成　西尾慶子

Special thanks
安西こずえ、石関靖子、出口奈津子

VERY BOOKS

滝沢眞規子
MY BASIC

2015年9月5日　　初版第1刷発行
2015年9月20日　　　第2刷発行

著者　　滝沢眞規子

発行人　　大給近憲
発行所　　株式会社 光文社
　　　　　〒112-8011 東京都文京区音羽1-16-6
　　　　　Tel　03-5395-8131　（VERY編集部）
　　　　　Tel　03-5395-8116　（書籍販売部）
　　　　　Tel　03-5395-8125　（業務部）

印刷・製本　　大日本印刷株式会社

落丁本・乱丁本は業務部へご連絡くだされば、お取替えいたします。
JCOPY〈(社)出版者著作権管理機構 委託出版物〉
本書の無断複写複製（コピー）は
著作権法上での例外を除き禁じられています。
本書をコピーされる場合は、そのつど事前に、
(社)出版者著作権管理機構
（☎03-3513-6969、e-mail : info@jcopy.or.jp）
の許諾を得てください。

本書の電子化は私的使用に限り、著作権法上認められています。
ただし代行業者等の第三者による電子データ化及び電子書籍化は、
いかなる場合も認められておりません。

ISBN978-4-334-97833-4
Printed in Japan　©Makiko Takizawa 2015

この本を読まれてのご意見、ご感想をお聞かせください。
veryweb@kobunsha.com

Profile

滝沢眞規子（たきざわ まきこ）

1978年生まれ。3児の母で専業主婦だった2009年当時、スーパーでの買物帰りにVERYライターから声をかけられたのをきっかけに読者モデルとして誌面で活躍。読者からの圧倒的な人気を受けて、2年後にはVERY専属モデルに。母としての基盤のあるファッションセンスとライフスタイルが、幅広い女性から支持されている。